tomi Ungerer

CRICTOR

kalandraka

Para Nancy, Ursula y Susan

Título original: Crictor

Colección **libros para soñar**

© de la edición original: Diogenes Verlag AG Zürich, 1963
© de la traducción: Silvia Pérez Tato, 2011
© de esta edición: Kalandraka Ediciones Andalucía, 2011
Avión Cuatro Vientos, 7. 41013 Sevilla
Telefax: 954 095 558
andalucia@kalandraka.com
www.kalandraka.com

Impreso en Gráficas Anduriña, Poio
Primera edición: octubre, 2011
ISBN: 978-84-92608-42-3
DL: SE 6359-2011

Érase una vez una pequeña ciudad francesa

en la que vivía una señora mayor llamada Madame Louise Bodot.

Ella tenía un hijo que estaba en África estudiando a los reptiles.

Una mañana el cartero le trajo

un paquete muy extraño con forma de o.

Madame Bodot dio un grito cuando lo abrió.

Su hijo le enviaba una serpiente por su cumpleaños.

Para asegurarse de que no era una serpiente venenosa, se acercó al zoo.

Allí supo que era una boa constrictor. Así que le llamó Críctor.

Madame Bodot crio a su nueva mascota con cariño, dándole biberones.

Compró palmeras para que Críctor se sintiese como en casa.

Tal como hacen los perros cuando están contentos, la boa meneaba la cola.

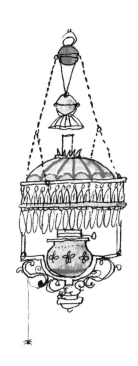

Bien alimentada, Críctor crecía y se hacía cada vez más y más fuerte.

La boa iba con su dueña de compras.

Todos se quedaban sorprendidos.

Madame Bodot le tejió un jersey de lana
muy largo para los días fríos.

Críctor también tenía una cama cálida y cómoda.

Allí, debajo de sus palmeras, tenía sueños felices.

En el invierno Críctor se divertía serpenteando en la nieve.

Madame Bodot era maestra en la escuela.

Un día decidió llevar a Críctor a sus clases.

Críctor aprendió enseguida a formar el alfabeto a su manera:

de serpiente

de elefante

de nada

de león

de Manolo

de copa

de ballena

También aprendió a contar, formando los números.

2 para las dos manos

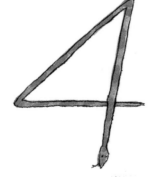

3 para los tres cerditos

4 para las cuatro patas del perro

 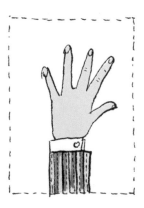

para los cinco dedos

para las seis patas de un insecto

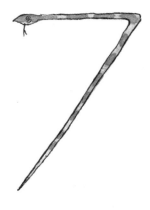 

para los siete enanitos

para los ocho tentáculos del pulpo

A la boa le gustaba jugar con los niños

y con las niñas también.

Enseñaba a los exploradores a hacer nudos.

Críctor era una serpiente muy útil.

Un día, en la terraza de un café, Madame Bodot
le escuchó decir a un amigo que habían ocurrido
una serie de robos en la ciudad.

Esa misma noche, un ladrón entró en su casa.

Madame Bodot ya estaba amordazada y atada a una silla
cuando la fiel boa se despertó y se lanzó furiosa al ladrón.
Los gritos aterrados del malhechor despertaron a los vecinos.

Críctor se quedó enrollada en él hasta que llegó la policía.

La serpiente heroica recibió una bonita medalla por su valentía.

Críctor incluso inspiró a un escultor local a hacer una estatua en su honor.

Y la ciudad le dedicó un parque.

Críctor, querida y respetada por toda la población,
tuvo una vida larga y feliz.

FIN